Am

Magwyd Anthony Horowitz ar straeon arswyd ac y mae'n dal i ymddiddori mewn pethau sinistr a brawychus. Pethau a digwyddiadau cyffredin bywyd bob dydd sydd wedi ysbrydoli'r straeon yn y llyfr hwn. Mae hyn yn wir am y rhan fwyaf o'r straeon yng ngweddill y gyfres. Ond y mae tro yng nghynffon pob un o'r straeon i'n hatgoffa y gall unrhyw beth ddigwydd, hyd yn oed mewn lle diogel. Dyw pethau erchyll, annisgwyl, brawychus ac iasol byth yn bell i ffwrdd.

Mae Anthony Horowitz yn awdur llwyddiannus nifer o lyfrau sydd wedi gwerthu'n dda, gan gynnwys straeon ditectif, straeon antur a straeon am ysbïwyr. Mae'r rhain wedi'u cyfieithu i dros ddwsin o ieithoedd. Mae e hefyd yn sgriptiwr teledu adnabyddus. Y mae'n un o sgriptwyr *Poirot*, *Midsomer Murders* a *Foyle's War*. Mae Anthony'n byw yn nwyrain Llundain.

> 'Nofelydd plant o'r radd flaenaf'
> – TIMES EDUCATIONAL SUPPLEMENT

> 'Perffaith i ddarllenwyr sy'n hoff o ddigwyddiadau rhyfedd'
> – SCHOOL LIBRARIAN ASSOCIATION

> 'Annisgwyl a chyffrous'
> – BOOKS FOR KEEPS

CAMERA
CREULON

I Stefan Kinner.

Dyn amryddawn.

CAMERA CREULON
ISBN 978-1-904357-18-6

Rily Publications Ltd
Blwch Post 20
Hengoed
CF82 7YR

Cyhoeddwyd am y tro cyntaf gan Orchard Books yn 1999

Cyhoeddwyd yn wreiddiol yn Saesneg fel *Killer Camera*
Killer Camera Copyright © Anthony Horowitz 1999

Addasiad gan Tudur Dylan Jones
Hawlfraint yr addasiad © Rily Publications Ltd 2010

Noddwyd gan Lywodraeth Cynulliad Cymru

Cysodwyd gan Wasg Dinefwr, Llandybïe, Sir Gaerfyrddin

Argraffwyd a rhwymwyd yn y Deyrnas Unedig
gan CPI Cox & Wyman Ltd, Reading, Berkshire.

www.rily.co.uk

ANTHONY
HOROWITZ

ADDASIAD TUDUR DYLAN JONES

CAMERA
CREULON

RILY

Cynnwys

camera
CREULON

Roedd sêl cist car yn digwydd ger Wrecsam bob dydd Sadwrn.

Roedd darn o dir agored yno; dim maes parcio, dim safle adeiladu, dim ond sgwâr o lwch a sbwriel nad oedd neb fel petaen nhw'n gwybod beth i'w wneud ag o. Ac yna un haf cyrhaeddodd y sêls cist car fel gwyfynnod at olau, ac ers hynny, mae un wedi bod yno bob wythnos. Doedd dim byd o werth i'w brynu yno – gwydrau wedi'u cracio a phlatiau erchyll, llyfrau llaith gan bobl na fyddech chi byth wedi clywed eu henwau, tegellau trydan a darnau o *hi-fi* o oes yr arth a'r blaidd.

Penderfynodd Matthew King fynd i mewn, dim ond oherwydd ei fod am ddim. Roedd wedi ymweld â'r sêl cist car o'r blaen a'r unig beth gafodd o oedd annwyd. Ond roedd tywydd heddiw'n well, prynhawn Sadwrn braf a digon o amser ganddo. A beth bynnag, roedd y sêl yn galw.

Ond yr un hen sbwriel oedd yno. Doedd o'n sicr ddim yn mynd i ddod o hyd i anrheg pen-blwydd i'w dad yn hanner cant, ddim os nad oedd ei dad wedi cael awydd sydyn am jig-so pum can darn o Eira Wen (un darn ar goll), neu beiriant coffi trydan (dim ond crac bach) neu efallai gardigan wlân mewn rhyw binc rhyfedd iawn.

Ochneidiodd Matthew. Weithiau, roedd yn casáu byw yn Wrecsam, ac roedd heddiw'n un o'r adegau hynny. Doedd ei rieni ddim wedi gadael iddo fynd allan ar ei ben ei hun tan ar ôl iddo gael ei ben-blwydd yn bedair ar ddeg. Dim ond wedyn y sylweddolodd o nad oedd ganddo unman i fynd iddo. Twll o le oedd Wrecsam, a'r sêl cist car yn fwy o dwll byth. Ai dyma'r lle i fachgen ifanc golygus ar brynhawn o haf?

Roedd ar fin gadael pan gyrhaeddodd car, a pharcio yn y gornel bellaf. Mae'n rhaid ei fod yn gamgymeriad, meddyliodd yn syth. Roedd y rhan fwyaf o'r ceir yn hen ac yn rhydlyd, mor ddi-werth â'r pethau yr oedden nhw'n eu gwerthu. Ond Volkswagen coch glân a sgleiniog oedd hwn. Edrychai Matthew ar ddyn smart yr olwg yn dod allan o'r car. Agorodd y bŵt, a sefyll yno'n edrych yn chwithig braidd, fel petai'n ansicr beth i'w wneud nesa. Cerddodd Matthew draw ato.

Fe fyddai'n cofio beth oedd yn y bŵt am byth. Roedd o'n beth rhyfedd. Roedd ganddo gof gwael. Roedd yna raglen ar y teledu lle'r oedd angen i chi gofio pob gwobr oedd yn mynd heibio i'ch llygaid chi, a doedd o byth yn llwyddo i gael mwy na dau neu dri, ond y tro hwn roedd wedi aros yn ei feddwl . . . wel, fel llun camera.

Roedd yna ddillad: siaced pêl-fâs, sawl pâr o jîns, crysau-t. Pâr o sgidiau sglefrolio, roced Tintin a chysgod lamp. Pentwr o lyfrau: rhai clawr papur a geiriadur newydd sbon. Tua ugain CD, Sony Walk-man, gitâr, bocs o baent dyfrlliw, bwrdd ouija, Game Boy . . .

. . . a chamera.

Estynnodd Matthew ei law a chipio'r camera. Synhwyrai fod criw o bobl yn barod wedi casglu y tu ôl iddo, ac roedd mwy o ddwylo yn estyn heibio iddo i afael mewn pethau o'r bŵt. Doedd y dyn a oedd wedi gyrru'r car ddim yn symud. Na dangos unrhyw emosiwn. Roedd ganddo wyneb crwn gyda mwstas bach, ac edrychai fel pe bai wedi cael llond bol. Dangosai ei wyneb cyfan nad oedd eisiau bod yn Wrecsam, nac yn y sêl cist car.

'Decpunt am hwn,' dywedodd rhywun.

Gwelodd Matthew ei fod yn dal y siaced pêl fâs. Roedd bron yn newydd, ac mae'n rhaid ei fod yn werth o leiaf deg punt ar hugain.

'Iawn,' dywedodd y dyn, a'i wyneb yn newid dim.

Edrychodd Matthew'n fanwl ar y camera yn ei ddwylo.

Yn wahanol i'r siaced, roedd yn amlwg fod y camera'n ail law, ond ymddangosai mewn cyflwr da. Roedd yr enw Pentax arno, ond roedd yr 'x' ar y casyn wedi gwisgo. Dyma'r unig beth oedd o'i le arno. Daliodd y camera i fyny, ac edrych trwy'r ffenest fach. Tua phum medr i ffwrdd, gwelai ddynes yn codi'r gardigan binc erchyll. Ffocysodd y camera arni, a theimlo gwefr wrth i'r lens bwerus ei gario'n nes fel pe bai, hyd nes bod y gardigan yn llenwi'r llun. Gallai hyd yn oed weld y botymau – rhai arian gwyn ac ychydig yn rhydd. Trodd o'i amgylch, gan weld y ceir a'r bobl yn rhuthro heibio yn y ffenest fach wrth iddo chwilio am lun. Am ddim rheswm o gwbl, ffocysodd ar ddrych mawr ar gyfer ystafell wely, a bwysai yn erbyn car arall. Gwasgodd y botwm, a thynnodd y llun. Clywodd y clic a ddywedai wrtho fod y camera'n gweithio.

Byddai'n gwneud anrheg berffaith. Roedd ei dad newydd gwyno ychydig fisoedd ynghynt am y lluniau a dynnon nhw ar eu gwyliau yn Ffrainc. Roedd eu hanner nhw â'r ffocws yn anghywir, a'r gweddill mor wyn nes gwneud i Ddyffryn Loire edrych fel Anialwch y Gobi ar ddiwrnod gwael.

`Bai'r camera ydy o,' dywedodd ei dad. `Mae'n hen ac yn ddiwerth. Bydd angen un newydd arnai.'

Ond chafodd o'r un. Ymhen wythnos, byddai'n cael ei ben-blwydd yn hanner cant. Ac roedd gan Matthew yr anrheg berffaith yn ei ddwylo'r funud honno.

Faint fyddai'n ei gostio? Ymddangosai'r camera'n ddrud. I ddechrau, roedd o'n drwm. Cadarn. Roedd y lens yn amlwg yn un cryf. Doedd dim ailosod awtomatig, dim sgrin ddigidol da, dim o'r pethau sydd ar gamerâu heddiw. Ond roedd technoleg yn rhad, roedd safon yn ddrud. Ac roedd hwn yn amlwg yn gamera o safon.

'Gymrwch chi ddegpunt am hwn?' gofynnodd Matthew. Os oedd y perchennog wedi bod yn ddigon hapus i gymryd degpunt am y siaced pêl fâs, efallai na fyddai'n meddwl ddwywaith am y camera. Ond y tro hwn, ysgydwodd y dyn ei ben. 'Mae'n werth canpunt o leia,' dywedodd. Trodd i dderbyn ugain punt am y gitâr. Cafodd ei brynu gan ddynes ifanc ddu a oedd yn ei ganu wrth iddi gerdded i ffwrdd.

'Ga i weld hwnna . . .?' Estynnodd dynes denau am y camera, ond tynnodd Matthew y camera'n ôl. Roedd ganddo dri phapur ugain punt yn ei boced ôl. Gwerth deuddeg wythnos o lanhau sgidiau, golchi ceir a helpu o amgylch y tŷ. Doedd o ddim wedi meddwl ei wario i gyd ar ei dad. Dim hyd yn oed ei hanner o.

'Gymrwch chi ddeugain punt?' gofynnodd i'r dyn. 'Dyna'r cwbl sydd gen i.' dywedodd yn llawn celwydd.

Edrychodd y dyn arno, cyn cytuno, 'Iawn. Neith hynny'r tro.'

Teimlodd Matthew'n gynhyrfus ac yn llawn ofn yr un pryd. Camera canpunt am ddeugain punt? Mae'n rhaid ei fod wedi torri. Ne wedi cael ei ddwyn. Neu'r ddau. Ond wedyn, agorodd y ddynes ei cheg i siarad, a daeth Matthew o hyd i'w bres yn sydyn a'i stwffio o dan drwyn y perchennog. Derbyniodd y dyn yr arian heb unrhyw emosiwn. Plygodd yr arian papur yn ei boced fel petai'n golygu dim iddo.

'Diolch,' dywedodd Matthew.

Edrychodd y dyn ym myw ei lygaid. 'Dwi eisiau cael gwared arno fo, dyna i gyd,' dywedodd. 'Cael ei wared yn llwyr.'

'Pwy oedd bia fo?'

'Myfyrwyr,' meddai – yn union fel pe bai'r gair yn egluro'r cyfan. Arhosodd Matthew. Roedd y dorf wedi gwasgaru a symud mlaen at stondinau eraill. Am eiliad dim ond Matthew a'r perchennog oedd yno, ar eu pennau eu hunain. 'Ro'n i'n arfer rhentu stafell neu ddwy,' eglurodd y dyn. 'Myfyrwyr celf. Tri ohonyn nhw. Tua deufis yn ôl, ddiflannon nhw. Rhedeg heb dalu – deufis o rent. Blydi stiwdants! Dwi wedi trïo dod o hyd iddyn nhw, ond dy'n nhw ddim wedi bod â'r cwrteisi i ffonio. Felly dywed-odd y wraig wrtha i am werthu rhai o'u pethau nhw. Do'n i ddim isho gwneud. Ond *nhw* sy' mewn dyled i *fi*. Dydy o ond yn deg . . .'

Gwthiodd dynes lond ei chroen heibio iddyn nhw, gan afael mewn llond dwrn o grysau-t. 'Faint ydyn nhw?' Roedd yr haul yn gwenu, ond yn sydyn teimlodd Matthew'n oer.

. . . *diflannon nhw* . . .

Pam ddylai tri myfyriwr celf ddiflannu gan adael eu hoffer i gyd, gan gynnwys camera gwerth can-punt? Roedd y perchennog yn amlwg yn teimlo'n euog am ei werthu. Oedd Matthew'n gwneud y peth iawn yn ei brynu? Yn gyflym, trodd a rhuthro i ffwrdd cyn iddo fo neu'r perchennog newid eu meddwl.

Newydd gerdded drwy'r giatiau a chyrraedd y stryd oedd o pan glywodd y sŵn. Sŵn gwydr yn torri. Edrychodd yn ôl, a gweld fod y drych yr oedd wedi tynnu'i lun wedi torri. O leiaf, roedd hi'n ymddangos mai dyna beth oedd wedi digwydd. Roedd yn gorwedd a'i ben i lawr, a darnau o wydr wedi malu o'i amgylch.

Neidiodd y perchennog ymlaen – dyn bach a'i wallt wedi'i dorri'n fyr – a gafael mewn dyn a oedd newydd basio. 'Ti wedi torri 'ngwydr i!' gwaeddodd.

'Es i ddim yn agos.' Roedd y dyn hwnnw'n ifancach, yn gwisgo jîns a chrys-t Star Wars.

'Weles i ti. Arnat ti bumpunt i fi . . .'

'Ar dy feic!'

Ac yna, wrth i Matthew edrych, dyrnodd perchennog y gwydr y dyn arall. Bron na allai Matthew glywed ei law yn bwrw wyneb y dyn. Sgrechiodd y dyn. Gwaed yn llifo o'i drwyn, a diferu lawr ei grys-t Star Wars.

Tynnodd Matthew'r camera'n agosach ato, troi a phrysuro i ffwrdd.

'Mae'n rhaid ei fod o wedi cael ei ddwyn,' dywedodd Elizabeth King, gan afael yn y camera.

'Dwi ddim yn meddwl,' dywedodd Matthew. 'Dwi wedi dweud wrthyt ti be ddwedodd y dyn.'

'Faint dalest ti?' gofynnodd Jaime. Ei frawd bach oedd Jamie. Dair blynedd yn iau, a chenfigennus iawn o bopeth yr oedd Matthew'n ei wneud.

'Dim o dy fusnes,' atebodd Matthew.

Gwasgodd Elizabeth fotwm ar y camera gyda'i hewinedd, ac agorodd y cefn. 'O! Drycha!'

dywedodd. 'Mae 'na ffilm i mewn.' Pwysodd y camera am 'nôl, a disgynnodd ffilm Kodak i'w llaw. 'Mae o wedi cael ei ddefnyddio,' dywedodd.

'Mae'n rhaid ei fod o wedi'i adael o yno,' sylwodd Jamie.

'Falle dylet ti fynd â fo i'w ddatblygu,' cynigiodd Elizabeth. 'Does wybod pa luniau fydd 'na.'

'Lluniau diflas o deulu,' mwmialodd Matthew.

'Lluniau budr!' gwaeddodd Jamie.

'Tyfa fyny'r twpsyn!' ochneidiodd Matthew.

'Ti mor hurt . . .!

'Ffŵl . . .'

'Dewch, fechgyn. Dim ffraeo!' Estynnodd Elizabeth y camera'n ôl i Matthew. 'Mae'n anrheg hyfryd,' dywedodd. 'Bydd Chris wrth ei fodd. A does dim angen iddo fo wybod o ble gest ti fo . . . neu sut gyrhaeddodd o 'na.'

Roedd Christopher King yn actor. Doedd o ddim yn enwog, ond roedd pobl yn dal i'w nabod o achos yr hysbyseb coffi a wnaeth ryw ddwy flynedd ynghynt. Doedd gwaith ddim yn brin. Yr wythnos hon, wythnos cyn ei ben-blwydd yn hanner cant, roedd yn chwarae rhan Banquo yn *Macbeth* gan Shakespeare, ('drama o'r Alban' roedd o'n ei galw hi achos ei bod hi'n anlwcus rhoi'r enw iawn arni). Roedd wedi cael ei lofruddio chwe noson ac un prynhawn bob wythnos am y pum wythnos diwethaf, a dechreuai edrych mlaen at ddiwedd y perfformiadau.

Roedd Matthew a Jamie wrth eu boddau pan oedd eu tad yn perfformio yng Nghaer, yn arbennig pe byddai'n digwydd yn ystod gwyliau'r haf. Golygai hynny y gallen nhw dreulio llawer o amser gyda'i gilydd. Roedd ganddyn nhw hen gi Labrador o'r enw Polonius, a byddai'r pedwar ohonyn nhw'n aml yn mynd am dro ar hyd camlas Llangollen. Roedd gan Elizabeth King swydd ran amser mewn siop ddillad a byddai hi'n dod hefyd pe byddai'n cael amser. Roedden nhw'n deulu clos, hapus, a'r ddau wedi bod yn briod ers ugain mlynedd.

Yn dawel bach, doedd Matthew ddim yn gallu credu faint o arian yr oedd wedi'i wario ar y camera, ond erbyn i'r pen-blwydd gyrraedd, roedd wedi anghofio am y pris ac roedd wrth ei fodd gydag ymateb ei dad.

'Mae'n wych!' gwenodd Christopher, gan edrych yn fanwl ar y camera. Roedd y teulu newydd orffen brecwast, ac yn eistedd o amgylch bwrdd y gegin. 'Dyma'r union beth o'n i isho. Dadleniad golau awtomatig a mesurydd golau! Ffordd i newid aperture . . .' Edrychodd fyny ar Matthew a oedd yn wên o glust i glust. 'Lle gest ti fo, Matthew? Nest ti ddim dwyn o'r banc, naddo?!'

'Ail law,' dywedodd Jamie.

'Dwi'n gweld hynny, ond mae'n dal yn gamera gwych. Ble mae'r ffilm?'

'Ches i ddim un, Dad . . .' Cofiodd Matthew am y ffilm oedd yn y camera. Roedd o ar y bwrdd wrth ymyl ei wely. Diawliodd ei hun. Pam nad oedd o wedi meddwl am brynu un newydd? Beth oedd pwrpas camera heb ffilm?

''Dach chi ddim wedi agor y'n anrheg i, Dad,' dywedodd Jamie. Gosododd Christopher y camera i lawr, ac estyn am focs bychan wedi'i lapio mewn papur Power Rangers. Rhwygodd y papur, a chwerthin wrth i ffilm ddisgyn ar y bwrdd. 'Rŵan, roedd hwnna'n syniad da,' ebychodd.

'Diawl,' meddyliodd Matthew, ond yn gall iawn, ddywedodd o ddim byd.

'Rŵan, sut mae o'n mynd mewn?'

'Gadwch o i fi.' Cymrodd Matthew'r camera oddi wrth ei dad, ac agor y cefn. Agorodd focs y ffilm a'i osod yn ei le.

Ond allai o ddim.

Arhosodd.

A llithrodd i'r hunllef.

Roedd fel petai'r teulu ei hun wedi dod yn ffotograff. Christopher ac Elizabeth yn eistedd wrth y bwrdd, a Jamie'n sefyll wrth eu hochr. Yn sydyn roedd Matthew'n edrych arnyn nhw o'r tu allan, wedi'u rhewi mewn byd arall. Roedd popeth fel petai wedi stopio. Ar yr un pryd, teimlodd rywbeth nad oedd wedi'i deimlo erioed o'r blaen – ias ryfedd yn cosi cefn ei wddf wrth i'w wallt sefyll yn syth. Edrychodd i lawr ar y camera, a hwnnw wedi troi'n dwll du enfawr yn ei law. Teimlai'i hun yn disgyn, yn cael ei sugno mewn i'r twll. Ac unwaith y byddai tu mewn, byddai cefn y camera'n troi'n gaead arch a fyddai'n cau'n glep, ac yn ei gloi i mewn yn y tywyllwch ofnadwy . . .

'Matt? Wyt ti'n iawn?' Estynnodd Christopher a gafael yn y camera gan dorri'r hud. Sylwodd Matthew fod ei gorff cyfan yn crynu. Roedd chwys ar ei ysgwyddau ac ar gledrau'i ddwylo. Beth oedd wedi digwydd iddo? Beth oedd o newydd ei brofi?

'Ydw, dwi'n . . .' Agorodd ei lygaid ac ysgwyd ei ben.

'Oes annwyd arnat ti?' gofynnodd ei fam. 'Ti'n edrych yn welw?'

'Dwi'n . . .'

Clywodd sŵn uchel. Daliodd Christopher y camera. ''Na ni, mae o mewn!'

Dringodd Jamie i ben ei gadair, ac estyn un goes allan fel cerflun. 'Tynnwch lun ohona i!' gwaeddodd.

'Alla i ddim, does dim fflash.'

'Allwn ni fynd allan i'r ardd!'

'Does dim digon o haul.'

'Wel, mae'n rhaid i ti dynnu llun o rywbeth, Chris,' dywedodd Elizabeth.

Yn y pen draw, tynnodd Chris ddau lun. Doedd dim ots llun o beth. Doedd o ddim ond eisiau gweld sut oedd pethau'n gweithio.

Yn gyntaf, tynnodd lun o goeden yn tyfu ynghanol y lawnt. Elizabeth oedd wedi plannu'r goeden geirios yn fuan wedi iddyn nhw briodi, tra oedd o'n ymddangos yn *The Cherry Orchard* gan

Chekov. Roedd wedi blodeuo bob blwyddyn ers hynny.

Ac wedyn pan oedd Jamie wedi perswadio Polonius y Labrador i godi o'i fasged a mynd i'r ardd, tynnodd Christopher lun o hwnnw hefyd. Edrychai Matthew ar hyn i gyd a gwên ar ei wyneb, ond gwrthodai ymuno yn yr hwyl. Teimlai'n sâl o hyd. Roedd fel petai wedi cael ei hanner grogi neu gael ei fwrw ym mhwll ei stumog. Arllwysodd ddiod o sudd afal iddo'i hun. Roedd ei fam yn siŵr o fod yn iawn. Mae'n rhaid bod ganddo'r ffliw.

Ond anghofiodd amdano yn nes ymlaen pan alwodd dau o actorion 'drama'r Alban' a phawb yn mynd allan am ginio cynnar. Wedi hynny, dal-iodd Christopher fws i'r dref gan ei bod hi'n ddydd Mercher ac roedd yn rhaid iddo fod yn y theatr erbyn dau. Treuliodd Matthew weddill y diwrnod yn ei stafell yn chwarae ar ei gyfrifiadur, a Polonius yn cysgu wrth draed ei wely.

Ddeuddydd yn ddiweddarach y sylwodd ei fam ar y peth.

'Edrycha draw fanna,' ebychodd, gan edrych allan o ffenest y gegin.

'Beth sy' 'na?' Roedd Christopher wedi derbyn drama newydd ac yn ei darllen cyn y clyweliad.

'Y goeden geirios!'

Cerddodd Matthew at y ffenest ac edrych allan. Gwelodd yn syth beth roedd ei fam yn ei olygu. Roedd y goeden tua thair medr o uchder. Er bod y blodau wedi hen fynd, roedd lliwiau'r hydref yn brydferth gyda'r dail cochion yn ymladd am sylw ar y brigau brau. O leiaf, dyna fel yr oedd hi'r diwrnod cynt.

Rŵan, roedd y goeden geirios yn farw. Roedd y brigau'n llwm, a'r dail dros y lawnt i gyd yn frown ac yn sych. Roedd hyd yn oed y boncyff fel petai wedi troi'n llwyd a'r goeden gyfan yn plygu drosodd fel hen ddyn sâl.

'Be sy wedi digwydd?' Agorodd Christopher ddrws y gegin a cherdded allan i'r ardd. Dilynodd Elizabeth. Cyrhaeddodd y goeden, a chodi llond llaw o ddail, 'Mae'n hollol farw!' ebychodd.

'Ond all coeden ddim marw fel'na.' Doedd Matthew erioed wedi gweld ei fam yn edrych mor drist. Sylweddolodd yn sydyn fod y goeden geirios yn golygu mwy na dim ond coeden i'w fam. Roedd wedi tyfu'r un pryd â'r briodas a'i theulu. 'Mae'n edrych fel petai wedi cael ei gwenwyno,' llefodd.

Gollyngodd Christopher y dail, a sychu'i ddwylo yn ei lawes. 'Efallai mai rhywbeth yn y pridd oedd o,' dywedodd. Tynnodd Elizabeth tuag ato. 'Cod dy galon. Blannwn ni un newydd.'

'Ond roedd hi'n arbennig. Ti'n cofio dy ddrama di . . .?'

Rhoddodd Christopher ei fraich o amgylch ei wraig. 'O leia dynnes i lun ohoni hi,' dywedodd. 'Felly newn ni ddim anghofio'r goeden.'

Aeth y ddau ohonyn nhw'n ôl i'r tŷ gan adael Matthew ar ei ben ei hun yn yr ardd. Estynnodd ei fys, a'i redeg lawr rhisgl y goeden. Teimlai'n oer a llaith. Crynodd. Doedd o erioed wedi gweld dim byd a edrychai mor . . . farw.

'O leia dynnes i lun ohoni hi . . .'

Adleisiai geiriau Christopher yn ei feddwl. Yn sydyn teimlai'n anesmwyth – ond doedd o ddim yn gwybod pam.

Digwyddodd y ddamwain y diwrnod wedyn.

Doedd Matthew ddim wedi codi eto. Wrth orwedd yn ei wely, clywodd y drws blaen yn rhwygo ar agor – yn rhy galed – ac yna sŵn lleisiau'n adleisio i fyny'r grisiau tuag ato.

'Liz! Be sy 'na? Be sy'n bod?'

'O, Chris!' Rhewodd Matthew. Doedd ei fam byth yn crïo. Byth. Ond roedd hi'n crïo rŵan. 'Polonius . . .'

'Be sy wedi digwydd?'

'Dwi ddim yn gwybod! Dwi ddim yn ei ddeall o gwbl!'

'Lizzie, 'di o ddim wedi . . .'

'Ydy. Mae'n ddrwg gen i. Dwi mor sori . . .' Dyna'r cyfan allai hi ei ddweud.

Yn y gegin, gwnaeth Christopher y te a gwrando ar y ffeithiau moel. Roedd Elizabeth wedi cerdded i Wrecsam i 'nôl y papur a phostio llythyrau. Roedd hi wedi mynd â Polonius efo hi. Yn ôl ei arfer roedd y Labrador wedi'i dilyn hi. Doedd hi byth yn ei roi ar dennyn. Roedd wedi cael ei ddysgu'n dda. Doedd o byth yn rhedeg i'r ffordd, hyd yn oed os gwelai gath neu wiwer. Y gwir oedd nad oedd Polonius yn rhedeg fawr o gwbl, ag yntau bron yn ddeuddeg oed.

Ond heddiw, am ddim rheswm o gwbl, cerdd-odd oddi ar y palmant. Doedd Elizabeth ddim wedi'i weld nes ei bod hi'n rhy hwyr. Roedd hi wedi agor ei cheg i alw'i enw pan ddaeth Landrover yn rhy gyflym rownd y gornel. Roedd y ceir i gyd yn gyrru'n rhy gyflym ar hyd ffordd Holt. Roedd Elizabeth wedi cau'i llygaid ar yr eiliad olaf. Ond roedd wedi clywed y gri, a'r ergyd ofnadwy. Gwyddai'n syth fod diwedd Polonius wedi dod.

O leiaf roedd o wedi bod yn gyflym. Roedd gyrrwr y Landrover wedi ymddiheuro'n fawr. Fo aeth â'r ci ar y milfeddyg . . . i gael ei gladdu neu'i losgi neu beth bynnag. Roedd Polonius wedi mynd. Bu gyda'r teulu ers ei fod yn gi bach, a rŵan roedd o wedi mynd.

Wrth orwedd yn y gwely, gallai Matthew glywed ei rieni'n siarad, ac er na allai glywed popeth, roedd yn gallu clywed digon. Gorffwysai'i ben ar y gobennydd, a'i lygaid yn llenwi gyda dagrau. 'Dynnes i lun ohono fo,' sibrydai wrtho'i hun. 'Dim ond llun sydd ar ôl ohono fo.'

A dyna sut yr oedd yn gwybod.

Yn y sêl cist car, roedd Matthew wedi tynnu llun o'r drych, ac roedd hwnnw wedi torri.

Roedd ei dad wedi tynnu llun o'r goeden geirios. Roedd honno wedi marw.

Wedyn tynnodd lun o Polonius . . .

Trodd Matthew ar ei ochr, ei foch yn cyffwrdd â wyneb oer y gobennydd. A dyna lle'r oedd o, yn y lle'r oedd wedi'i adael, ar y bwrdd wrth ochr ei wely. Y ffilm a oedd wedi'i agor yn barod.

Y prynhawn hwnnw, aeth a'r ffilm i'r siop er mwyn ei ddatblygu.

Roedd pedwar llun ar hugain yn y pecyn.

Roedd Matthew wedi prynu Coke iddo'i hun mewn caffi yn Wrecsam ac wrthi'n rhwygo'r pecyn ar agor cyn gadael i'r lluniau sgleiniog lithro allan ar y bwrdd. Am eiliad, arhosodd. Roedd rhywbeth o'i le yn busnesu ym mywydau pobl eraill. Ond roedd yn rhaid iddo wybod.

Dim ond gwneud iddo deimlo'n waeth wnaeth y deg llun cyntaf. Lluniau o fachgen ifanc, yn ei ugeiniau cynnar, a rywsut gwyddai Matthew mai hwn oedd perchennog y camera. Roedd yn cusanu merch brydferth mewn un llun, ac yn taflu pêl griced yn y llall.

'*Myfyrwyr celf. Tri ohonyn nhw . . .*'

Roedd y dyn yn y sêl cist car wedi rhentu rhan o'i dŷ i fyfyrwyr celf. Mae'n rhaid mai dyma nhw. Tri ohonyn nhw. Perchennog y camera. Y ferch brydferth. A bachgen arall, tenau gyda gwallt hir a dannedd cam.

Edrychodd Matthew'n gyflym trwy weddill y lluniau.

Arddangosfa luniau. Stryd yn Llundain. Gorsaf drenau. Traeth. Cwch pysgota. Tŷ . . .

Roedd y tŷ'n wahanol. Doedd Matthew erioed wedi gweld lle tebyg iddo. Tŷ pedwar llawr mewn hen ardd â'r chwyn wedi tyfu'n wyllt. Tagai'r drain bopeth, a gwair fel cyllyll mawr yn trywanu'r waliau. Roedd yn amlwg yn wag, a rhai o'r ffenestri wedi torri. Pliciai'r paent du i ffwrdd mewn mannau, gan ddangos gwaith briciau'n disgleirio fel clwyf agored.

Yn agosach. Uwchben y drws, roedd corrach wedi cracio'n edrych tuag at y camera. Pren derw cadarn oedd y drws, a charn y drws ar ffurf breichiau babi a'r dwylo'n dal yn ei gilydd.

Roedd chwe pherson wedi dod i'r tŷ y noson honno. Roedd yna lun ohonyn nhw gyda'i gilydd yn yr ardd. Gallai Matthew adnabod y tri myfyriwr

o'r ysgol gelf. Gwisgai pob un grysau a jîns du. Y tu
ôl iddyn nhw roedd dau ddyn arall, a merch arall,
i gyd tua ugain oed. Codai un o'r dynion ei
freichiau a golwg ryfedd arno, yn dynwared
fampir. Chwarddai pob un. Meddyliai Matthew, ai
seithfed person oedd wedi tynnu'r llun, neu a
oedd y camera wedi'i osod ar awtomatig?
Edrychodd ar y llun nesaf, llun a oedd yn ei arwain
i mewn i'r tŷ.

Clic. Cyntedd mawr i fynd i mewn. Cerrig mawr
ar y llawr, ac yn y pellter grisiau tro wedi pydru, yn
arwain i unman.

Clic. Y ferch brydferth yn yfed gwin coch. Ei yfed
yn syth o'r botel.

Clic. Bachgen gwallt golau yn dal dwy
ganhwyllbren. Y tu ôl iddo, bachgen arall yn dal
brwsh paent.

Clic. Y cerrig eto, ond erbyn hyn, maen nhw
wedi peintio cylch gwyn arnyn nhw, ac mae'r
bachgen gwallt golau yn ychwanegu geiriau.
Ond allwch chi ddim darllen y geiriau. Mae
adlewyrchiad y fflash o'r ffordd.

Clic. Mwy o ganhwyllau. Y fflamau'n dawnsio. O
amgylch y cylch. Tri aelod o'r grŵp yn dal dwylo.

Clic. Maen nhw'n noeth! Maen nhw wedi tynnu'u dillad. Gall Matthew weld popeth, ac ar yr un pryd, mae'n gweld dim byd. Dydy o ddim yn credu'i lygaid. Mae'n hollol hurt . . .

Clic. Cath. Cath ddu. Mae'i llygaid wedi dal y fflash, ac wedi troi'n fflamau o dân. Mae gan y gath ddannedd gwynion, miniog. Mae hi'n rhuo, yn corddi yn y dwylo sy'n ei dal.

Clic. Cyllell.

Caeodd Matthew ei lygaid. Gwyddai rŵan beth oedden nhw'n ei wneud. Ar yr un pryd, cofiodd y peth arall yr oedd y dyn yn ei werthu yn y sêl cist car. Sylwodd ar y pryd ond heb feddwl llawer amdano. Bwrdd ouija. Gêm i bobl sy'n hoffi chwarae gyda phethau nad ydyn nhw'n deall llawer amdanyn nhw. Gêm i bobl nad ydyn nhw'n ofni'r tywyllwch. Ond roedd ofn ar Matthew.

Roedd o yno yn eistedd yn y caffi gyda'r lluniau o'i flaen, a doedd o ddim yn gallu credu'r peth. Ond doedd dim dianc rhag y gwir. Roedd criw o fyfyrwyr wedi mynd i dŷ gwag. Efallai eu bod nhw wedi mynd â rhyw fath o lyfr gyda nhw; hen lyfr hud a lledrith . . . wedi dod o hyd iddo mewn siop hen bethau. Cofiai Matthew ei fod wedi gweld rhywbeth tebyg yn y siop lle'r oedd ei fam yn gweithio: hen lyfr clawr lledr a'i dudalennau'n melynu, a'r llawysgrifen yn ddu ac yn flêr. Hudiadur oedd ei gair hi amdano. Mae'n rhaid bod y bobl yn y llun wedi dod o hyd i un yn rhywle ac, wedi blino ar y bwrdd ouija, eu bod nhw wedi penderfynu gwneud rhywbeth mwy peryglus, mwy ofnus. Galw ar . . .

Beth?

Ysbryd? Ellyll?

Roedd Matthew wedi gweld digon o ffilmiau arswyd i wybod beth oedd yn y llun. Cylch hud. Canhwyllau. Gwaed cath farw. Roedd y chwech wedi cymryd y cyfan o ddifri – hyd yn oed yn tynnu eu dillad ar gyfer y ddefod. Ac roedden nhw wedi llwyddo. Rywsut gwyddai Matthew fod y ddefod wedi gweithio. Eu bod wedi deffro . . . rhywbeth. A'i fod wedi'u lladd nhw.

. . . *diflannon nhw* . . .

Welodd y dyn yn y sêl cist car mohonyn nhw byth wedyn. Wrth gwrs, roedden nhw wedi mynd 'nôl i'r tŷ, i ble bynnag roedden nhw'n ei rentu. Pe na bydden nhw wedi mynd 'nôl, allai'r camera ddim bod yno. Ond wedi hynny, mae'n rhaid bod rhywbeth wedi digwydd. Nid i un ohonyn nhw, ond i bawb . . .

Y camera . . .

Edrychodd Matthew i lawr ar y lluniau. Roedd wedi edrych drwy bentwr ohonyn nhw, ond roedd tri neu bedwar llun yn dal ar ôl. Estynnodd gyda'i fysedd i'w gwahanu nhw, ond arhosodd. Oedd y myfyriwr oedd piau'r camera wedi tynnu llun y creadur, y peth, beth bynnag yr oedden nhw wedi'i ddeffro gyda'r hud a'r lledrith? Oedd o yno rŵan, ar y bwrdd o'i flaen? A fyddai'n bosib . . .?

Doedd o ddim eisiau gwybod.

Cododd Matthew'r pentwr cyfan, a'u gwasgu'n flêr yn ei law. Ceisiodd eu rhwygo, ond allai o ddim. Yn sydyn, teimlai'n sâl a blin. Doedd o ddim eisiau hyn o gwbl. Dim ond anrheg pen-blwydd i'w dad roedd o eisiau, ac roedd o wedi dod â pheth ofnadwy o ddrwg i mewn i'r tŷ. Llithrodd un o'r lluniau trwy'i ddwylo a . . .

. . . rhywbeth coch, disglair, dau lygad neidr, cysgod anferth . . .

. . . gwelodd Matthew'r peth o gornel ei lygaid, er nad oedd yn ceisio edrych arno o gwbl. Gafaelodd yn y llun, a cheisio'i rwygo. Unwaith, ddwywaith, i ddarnau llai a llai.

'Ti'n iawn, cariad?'

Roedd y weinyddes wedi ymddangos o rywle, ac yn sefyll wrth y bwrdd gan edrych lawr ar Matthew. Hanner gwenodd Matthew, ac agor ei law. Disgynnodd darnau o'r lluniau ar y bwrdd. 'Ydw . . .' Safodd. 'Dwi ddim isho'r rhain,' dywedodd.

'Alla i weld hynny. Ti isho i fi eu rhoi nhw yn y bin i ti?'

'Ydw. Diolch . . .'

Sgubodd y weinyddes y darnau lluniau at ei gilydd a'u cario draw i'r bin. Pan drodd 'nôl i edrych, roedd y bwrdd yn wag. Roedd Matthew wedi mynd yn barod.

●

Dod o hyd i'r camera. Dinistrio'r camera. Rhedai'r ddau beth trwy'i feddwl dro ar ôl tro. Byddai'n ei egluro wrth ei dad yn nes ymlaen. Neu efallai na fyddai. Sut oedd o'n mynd i ddweud y gwir wrtho?

'Chi'n gweld, Dad, roedd gan fachgen gamera, ac roedd o'n ei ddefnyddio mewn math o ddefod ddu. Tynnodd o lun ellyll, ac roedd yr ellyll un ai wedi ei ladd neu ei ddychryn i ffwrdd, a rŵan mae o *tu mewn* i'r camera. Pan fyddwch chi'n tynnu llun rhywbeth efo'r camera, 'dach chi'n ei ladd o! Cofio'r goeden geirios? Cofio Polonius? A'r drych hefyd . . .'

Byddai Christopher yn meddwl ei fod o'n hurt. Byddai'n well peidio â cheisio egluro. Byddai'n well mynd â'r camera, a'i golli. Efallai ar waelod y gamlas. Byddai'i rieni'n meddwl bod rhywun wedi'i ddwyn o. Byddai'n well pe na bydden nhw byth yn dod i wybod.

Cyrhaeddodd adref. Roedd ganddo'i allweddi'i hun, a gadawodd ei hun i mewn.

Gwyddai'n syth fod ei rieni wedi mynd allan. Doedd y cotiau ddim wrth y drws, ac ar wahân i sŵn hŵfro'n dod o'r llofftydd, teimlai'r tŷ'n wag.

Wrth iddo gau'r drws, peidiodd yr hŵfro, ac ymddangosodd dynes fach dew ar ben y grisiau. Mrs Bayley oedd ei henw a doi i mewn ddwywaith yr wythnos i helpu Elizabeth gyda'r glanhau.

'Ti Matthew sy' 'na?' galwodd. Ymlaciodd pan welodd y bachgen. 'Neges gan dy fam i ddweud ei bod hi wedi mynd allan.'

'Lle aeth hi?' Dechreuodd Matthew boeni.

'Aeth dy dad â hi a Jaime i Bontcysyllte efo'r camera newydd. Roedd o eisiau tynnu'u lluniau nhw . . .'

A dyna ni. Teimlai Matthew'r llawr yn troi oddi tano. Llithrodd 'nôl a'i ysgwyddau'n bwrw'r wal.

Y camera.

Pontcysyllte.

Dim Mam! Dim Jamie!

'Be' sy'n bod?' Daeth Mrs Bayley i lawr y grisiau i'w gyfeiriad. 'Ti fel taset ti wedi gweld ysbryd!'

'Mae'n rhaid i fi fynd 'na!' Daeth y geiriau allan yn un llif annealladwy. Gorfododd Matthew'i hun i arafu. 'Mrs Bayley, oes gennych chi gar? Allwch chi fynd â fi?'

'Dwi heb orffen y gegin . . .'

'Plîs. Mae'n bwysig!'

Mae'n rhaid bod rhywbeth yn ei lais. Edrychodd Mrs Bayley mewn penbleth arno. Wedyn cytunodd. 'Alla i fynd â ti os wyt ti isho. Ond pa ochr i'r bont? Dwi ddim yn gwybod sut wyt ti'n mynd i ddod o hyd iddyn nhw . . .'

Roedd hi'n iawn, wrth gwrs. Roedd y gamlas yn croesi'r bont o Drefor i Froncysyllte, un o ryfeddodau mawr y byd. Roedd yr olygfa o ben y bont yn odidog, a doeddech chi ddim yn teimlo eich bod chi ar gyrion Wrecsam o gwbl. Ond sut aethon nhw? Ymhle allen nhw fod? Yn unrhyw le.

Roedd Mrs Bayley wedi'i yrru draw yn ei Fiat Panda rhydlyd, ac roedden nhw ar fin cyrraedd pan welodd o'r car wedi'i barcio wrth ymyl arhosfan bws. Car ei dad. Roedd sticer yn y ffenest gefn – THEATR BYW, THEATR BYWYD – a neidiai'r llythrennau cochion allan ato. Roedd wastad wedi teimlo embaras oherwydd y geiriau gwirion hyn. Ond rŵan darllenai'r geiriau gyda thon o ryddhad.

'Arhoswch fan hyn, Mrs Bayley!' gwaeddodd.

Trodd Mrs Bayley lyw'r car, a chanai corn yn uchel y tu ôl iddyn nhw wrth i'r Fiat Panda droi'n gyflym at ochr y ffordd. 'Wyt ti wedi'u gweld nhw?' gofynnodd.

'Y car. Mae'n rhaid eu bod nhw yr ochr yma . . .'

Pontcysyllte. Dyma un o olygfeydd hardda'r ardal; pont gamlas o'r bedwaredd ganrif ar bymtheg, yn codi'n uchel uwch afon Dyfrdwy. Yr union fath o le y byddai Christopher wedi mynd am dro . . .

Mynd i dynnu llun.

Rhuthrodd Matthew o'r car, gan gau'r drws yn glep y tu ôl iddo. Yn barod gallai ddychmygu Elizabeth a Jaime yn sefyll ar y bont. Christopher yn sefyll gyda'r camera. 'Ychydig yn agosach. Rŵan gwenwch . . .' Byddai'i fys yn bwrw am i lawr – a be' wedyn? Cofiodd Matthew am y goeden geirios, yn farw a di-liw. Polonius, nad oedd erioed wedi cerdded allan i'r ffordd o'r blaen. Y drych, yn torri'n deilchion yn y sêl cist car. Y gwaed yn llifo wedi'r ffeit a oedd wedi dilyn. Wrth iddo redeg ar hyd y pafin a throi am y bont meddyliodd tybed a oedd yn mynd yn hollol wirion? A oedd wedi dychmygu'r cyfan. Ond wedyn cofiodd am y lluniau: y tŷ gwag, y canhwyllau.

Y cysgod. Dau lygad coch yn llosgi . . .

A gwyddai Matthew ei fod yn iawn, nad oedd wedi dychmygu'r cyfan, ac nad oedd ganddo ond ychydig funudau i arbed ei dad a'i fam a'i frawd bach.

Os nad oedd hi'n rhy hwyr yn barod.

Doedd Christopher, Elizabeth na Jaime ddim ar y bont. Doedden nhw ddim ger y cei cychod nac yn y caffi. Rhedodd Matthew yr holl ffordd o un pen y bont i'r llall, yn gwthio heibio i'r cerddwyr, yn anwybyddu protestiadau'r bobl. Meddyliodd ei fod wedi gweld Jaime yn yr ardd, a disgynnodd arno – ond bachgen arall oedd o, dim byd tebyg i'w frawd. Roedd fel petai'r byd i gyd wedi torri'n deilchion (fel y gwydr yn y sêl cist car) wrth iddo'i orfodi'i hun ymlaen i chwilio am ei deulu. Doedd o ond yn ymwybodol o wyrdd y gwair, glas yr awyr a darnau amryliw'r jig-sô o bobl rhwng y ddau.

'Mam! Dad! Jaime!' Gwaeddodd eu henwau wrth iddo redeg. Os nad oedden nhw'n ei weld, gobeithiai i'r nef y gallen nhw'i glywed o. Roedd yn hanner ymwybodol fod pobl yn edrych arno, yn pwyntio ato, ond doedd dim ots ganddo. Rhuthrodd heibio i ddyn mewn cadair olwyn. Daeth ei droed i lawr ynghanol blodau. Gwaeddodd rhywun arno. Rhedodd yn ei flaen.

Roedd ar fin ildio pan welodd o nhw. Am eiliad, arhosodd yno a'i wynt yn ei ddwrn. Nhw oedd yno? Yn sefyll yno? Roedd fel petaen nhw wedi bod yn aros amdano'r holl amser.

Ond a oedd wedi eu cyrraedd mewn pryd?

Daliai Christopher y camera. Roedd y gorchudd yn dal ar y lens. Roedd Jamie'n edrych fel petai wedi diflasu. Roedd Elizabeth newydd fod yn siarad, ond pan welodd Matthew, distawodd gan rythu arno, yn methu â chredu'i llygaid.

'Matthew . . .?' Edrychodd ar Christopher. 'Be wyt ti'n ei wneud yma? Be sy'n bod?'

Rhedodd Matthew tuag atynt. Dim ond rŵan y sylwodd ei fod o'n chwysu, nid o achos ymdrech y rhedeg, ond oherwydd arswyd llwyr. Rhythodd ar y camera yn nwylo'i dad, gan geisio peidio ag ildio i'r demtasiwn o'i rwygo oddi arno a'i dorri'n ddarnau mân. Agorodd ei geg i siarad, ond am eiliad, methodd â dweud dim. Fe'i gorfododd ei hun i ymlacio.

'Y camera,' ochneidiodd.

'Be amdano fo?' Daliodd Christopher y camera i fyny heb ddeall.

Llyncodd Matthew. Doedd o ddim eisiau gofyn y cwestiwn. Ond roedd yn rhaid iddo. Roedd yn rhaid iddo wybod. 'Dynnoch chi lun o Mam?' gofynnodd.

Ysgwydodd Christopher King ei ben. 'Doedd hi ddim yn gadael i fi wneud,' dywedodd.

'Mae gormod o olwg arna i,' ychwanegodd Elizabeth.

'Be am Jaime?'

'Be amdana i?'

Anwybyddodd Matthew ei frawd. 'Dynnoch chi lun ohono fo?'

'Na.' Gwenodd Christopher mewn penbleth. 'Be sy'n digwydd Matthew? Be sy'n bod?'

Cododd Matthew ei ddwylo. ''Dach chi ddim wedi tynnu llun o Jaime? 'Dach chi ddim wedi tynnu llun o Mam?

'Na.'

Yna – â'i galon yn ei wddf, 'Adawoch chi iddyn nhw dynnu llun ohonoch chi?'

'Na.' Gosododd Christopher ei law ar ysgwydd Matthew. 'Newydd gyrraedd ydan ni,' dywedodd. ''Dan ni ddim wedi tynnu llun o'n gilydd. Pam ei fod o mor bwysig beth bynnag? Beth wyt ti'n ei wneud yma?'

Teimlai Matthew ei bengliniau'n mynd yn wan. Roedd eisiau suddo i'r gwair. Teimlai'r awel yn cusanu'i fochau, a dechreuodd chwerthiniad anferth gasglu y tu mewn iddo. Roedd wedi cyrraedd mewn pryd. Roedd popeth yn mynd i fod yn iawn.

Wedyn siaradodd Jaime. 'Dynnes i lun,' dywedodd.

Rhewodd Matthew.

'Ddwedodd Dad 'mod i'n cael!'

'Do,' gwenodd Christopher. 'Dyna'r unig lun mae'r camera wedi'i dynnu.'

'Ond . . .' Dim ond pedwar gair. Ond unwaith y cawson nhw eu dweud, fyddai'i fywyd o ddim yr un fath byth wedyn. 'Llun be dynnoch chi?'

Pwyntiodd Jamie. 'Yr olygfa.'

A dyna lle'r oedd hi. Pontcysyllte a Glyndyfrdwy, Llangollen a Chastell Dinas Brân, Bryniau Clwyd yn y pellter. Gallech chi weld y cyfan o'r fan hon. Roedd popeth yn odidog. Dyna pam roedd y teulu wedi dod yma.

Er mwyn gweld yr olygfa.

'Cymru . . .?' Roedd gwddf Matthew'n sych.

'Ges i lun gwych.'

'Cymru . . .!'

Roedd yr haul wedi diflannu. Safai Matthew, a gweld y cymylau'n crynhoi, a'r tywyllwch yn rhuo tuag atynt.

SYMUD

sydyn

Mae'n siŵr fod fy stori'n dechrau gyda dyn nad oeddwn i erioed wedi'i gyfarfod.

Ethan Sly oedd ei enw. Newyddiadurwr rasio i'r *Bangor Express*. Roedd ganddo'i golofn ei hun o'r enw Sly, Dim Llai. Mae'n debyg ei fod o'n ysmygu tri deg sigarèt y dydd, a phan nad oedd o'n ysmygu roedd o'n bwyta, a phan nad oedd o'n bwyta roedd o'n yfed.

Felly doedd neb yn synnu pan fu farw Ethan Sly yn bedwar deg dau. Cafodd drawiad mawr ar ei galon a bu farw'n syth. Sylwodd neb am ychydig o oriau. Roedd wedi bod yn gweithio wrth ei ddesg, yn teipio'r tips ar gyfer y Grand National pan benderfynodd ei galon druan ei bod wedi cael digon. Yn ôl y meddyg, roedd wedi digwydd mor gyflym fel nad oedd wedi teimlo unrhyw boen. Pan ddaethon nhw o hyd iddo, roedd yna olwg o syndod tawel ar ei wyneb, dyna'r cyfan.

Dwi'n gwybod hyn i gyd achos bod fy nhad yn gweithio ar yr un papur. Mae hyn o hyd wedi

49

achosi ychydig o embaras i fi. Chi'n gweld, fo sy'n sgwennu'r golofn goginio. Pam coginio? Pam ddim pêl droed neu drosedd neu hyd yn oed y tywydd? Dwi'n gwybod mod i'n ragfarnllyd yn erbyn merched ac mae Dad wedi dweud wrtha i ganwaith mai dynion ydy'r cogyddion gorau, ond wedyn . . .

Beth bynnag, roedd o yno pan glirion nhw swyddfa Ethan, a dyna sut ges i'r cyfrifiadur. A dyna pryd ddechreuodd yr holl drwbwl.

Daeth Dad â'r cyfrifiadur adre ddiwrnod wedi'r angladd. Roedd yn ei gario mewn bocs card-fwrdd mawr, ac am eiliad wallgo ro'n i'n credu mai ci neu gath fach oedd y tu mewn. Roedd fel petai'n anwesu'r bocs yn gariadus yn ei freichiau. Rhoddodd y bocs i lawr yn ysgafn ar fwrdd y gegin.

'Dyma ti, Henri,' dywedodd. 'I ti mae hwn.'

'Be ydy o?' gofynnodd Claire. Hi ydy fy chwaer fach i, naw oed, wedi gwirioni ar Barbie a grwpiau pop. Mae'r ddau ohonon ni'n ffraeo o hyd.

'I Henri mae o,' dywedodd Dad eto. 'Ti wastad wedi dweud mai sgwennwr wyt ti isho bod. Bydd hwn yn help i ti ddechrau.'

Ro'n i wedi dweud – unwaith – mod i isho bod yn sgwennwr. Ro'n i wedi clywed faint roedd Jeffrey Archer yn ei ennill. Ers hynny, roedd y syniad wedi tyfu, a phob tro roedd Dad yn cyflwyno rhywun i fi, roedd o'n dweud mod i'n mynd i sgwennu. Rhai fel'na ydy rhieni. Maen nhw'n hoffi labeli.

Agorais y bocs.

Un henffasiwn oedd y cyfrifiadur. Roedd hi'n hawdd dweud petai ond am y ffordd roedd y plastig gwyn wedi mynd yn llwyd. Roedd cymaint o olwg ar yr allweddell nes ei bod hi'n anodd gweld rhai o'r llythrennau, ac roedd y darn plastig wedi'i golli oddi ar y botwm DILEU gan adael pigyn metal yn y golwg. Roedd yna gylchoedd brown budr o amgylch y clawr lle'r oedd y perchennog blaenorol wedi gosod y mygiau coffi tra oedd yn gweithio. Roedd ganddo sgrin liw a phrosesydd Pentium, ond dim sbardun 3D . . . felly roedd hi'n amhosib i mi chwarae fy hoff gemau arno.

'Beth ydy hwnna?' Roedd Mam wedi dod i'r gegin, ac yn edrych yn siomedig ar y cyfrifiadur. Rydyn ni'n byw mewn tŷ modern ar gyrion Bangor ac mae Mam yn hoffi'i gadw'n daclus. Mae ganddi swydd ran-amser mewn siop sgidiau, a swydd lawn-amser fel gwraig tŷ a mam. Dydy hi byth yn llonydd. Mae o hyd yn hŵfro, dwstio, polisho neu olchi. Wrth gwrs, mae hi'n gadael y coginio i Dad.

'Cyfrifiadur ydy o,' dywedais i. 'Dad gafodd o i fi.'

'Lle gest ti o?' cyfarthodd. 'Mae angen golchad arno fo.'

'Be gawsoch chi i *fi*?' cwynodd Claire.

'I Henri mae o. Ar gyfer ei sgwennu,' dywedodd Dad, gan ei hanwybyddu hi. 'Roedden nhw'n clirio swyddfa Ethan druan bore 'ma, ac roedden nhw'n taflu llawer o bethau. Ges i'r cyfrifiadur.'

'Diolch, Dad,' dywedais i. Er nad o'n i'n hollol hapus. 'Ydy o'n gweithio?'

'Wrth gwrs ei fod o. Roedd Ethan yn ei ddefnyddio'r bore pan fu . . .' Distawodd Dad hanner ffordd drwy'r frawddeg.

Cariais y cyfrifiadur i fy stafell a gwneud lle iddo ar y ddesg, ond wnes i ddim ei droi mlaen, a ddweda i pam. Mae'n siŵr ei fod o'n beth caredig i Dad feddwl amdana i, ond doeddwn i ddim yn hoff o'r cyfrifiadur. Roedd o'n hen beiriant llwyd, hyll gyda gwifrau dros bob man, a socedi trwm. Er fy mod wedi ei roi o'r ffordd yn y gornel, roedd fel petai'n hawlio'r stafell i gyd. 'Dach chi'n gwybod be dwi'n feddwl? Doeddwn i ddim eisiau edrych arno fo, ond ar yr un pryd allwn i ddim tynnu fy llygaid oddi arno. Ac roedd gen i'r teimlad annifyr fod y sgrin werdd wydr wag yn rhythu'n ôl.

Ges i de. Gwneud fy ngwaith cartref. Siarad â Leo (fy ffrind gorau) ar y ffôn. Cicio pêl droed o amgylch yr ardd. Yn y diwedd, ges i fath a mynd i'r gwely. Mae'n swnio'n hurt, ond y gwir ydy mod i'n gohirio mynd 'nôl i fy stafell gymaint â phosib. Roeddwn i'n dal i feddwl am Ethan Sly. Yn farw ac yn pydru yn ei fedd. A dim ond deuddydd ynghynt, roedd ei fysedd llawn nicotin wedi bod yn cyffwrdd â'r allweddell a oedd erbyn hyn yn gorwedd ar fy nesg. Tegan dyn marw. Aeth ias i lawr fy nghefn.

Disgynnais i gysgu'n gyflym. Rydw i fel arfer yn cysgu'n drwm, ond y noson honno fe ddeffrais i. Yn sydyn roedd fy llygaid led y pen ar agor, a gallwn deimlo'r gobennydd yn oer o dan fy mhen. Beth oedd wedi fy neffro i? Doedd dim unrhyw sŵn yn y stafell, ar wahân i . . . rŵan gallwn i glywed sŵn hymian isel; tawel, ysgafn a rhyfedd.

Wedyn sylwais i fod yna olau gwan gwyrdd yn llenwi'r stafell. Welais i erioed mo hynny o'r blaen. Roedd yn goleuo'r posteri ffilmiau ar y wal – dim digon i wneud y geiriau'n ddarllenadwy, ond digon i ddangos y lluniau. Troais fy mhen, gan deimlo'r esgyrn yn rhoi clic wrth i 'ngwddf droi ar yr asgwrn cefn. Cyffyrddodd fy moch chwith â'r gobennydd. Edrychais ar draws y stafell.

Roedd y cyfrifiadur ymlaen. Dyna oedd yn gwneud y sŵn hymian. Roedd y sgrin yn olau efo un gair mewn llythrennau breision ar draws ei chanol.

CASABLANCA

Doedd hynny ddim yn gwneud unrhyw synnwyr i fi. Casablanca. Dinas yng ngogledd Affrica. Teitl hen ffilm a oedd wastad yn gwneud i Taid grïo. Pwy deipiodd o ar y sgrin a pham? Roeddwn i ychydig yn ddryslyd, ond yn flin iawn. Mae'n amlwg fod Dad wedi dod i mewn i fy stafell a chynnau'r cyfrifiadur tra'r oeddwn i'n cysgu. Mae'n debyg ei fod o eisiau gwneud yn siŵr ei fod o'n gweithio. Ond doeddwn i ddim yn hoffi gweld pobl yn dod mewn i fy stafell i. Fy lle i oedd hwn, ac roedd Mam a Dad fel arfer yn parchu hynny. Roedd croeso iddo drwsio'r cyfrifiadur. Ond byddai'n well gen i pe bai wedi gofyn.

Roeddwn i'n rhy flinedig i ddod allan o'r gwely i'w ddiffodd. Felly caeais fy llygaid a throi'n ôl i gysgu. Ond chysgais i ddim. Roedd fel petai rhywun wedi taflu llond bwced o ddŵr oer drosta i.

Dyna roeddwn i wedi'i weld, er nad oedd fy llygaid yn fodlon credu'r peth. Dyma roeddwn i'n ei weld rŵan.

Doedd plwg y cyfrifiadur ddim yn y wal.

Roedd y plwg yn gorwedd ar y carped gyda'r wifren o'i amgylch, dros chwe modfedd i ffwrdd o'r soced. Ond roedd y cyfrifiadur yn dal i weithio. Rhoddais ddau a dau at ei gilydd a phenderfynu fod yn rhaid mai dal i freuddwydio'r oeddwn i. Beth arall allai o fod? Caeais fy llygaid a mynd 'nôl i gysgu.

Anghofiais yn llwyr am y cyfrifiadur y bore wedyn. Roeddwn i wedi gorgysgu (fel arfer) ac roeddwn i'n hwyr i'r ysgol, am yr eildro'r wythnos honno. Rhuthro i wisgo, i mewn i'r stafell molchi o flaen Claire ac i'r ysgol cyn iddyn nhw gau'r giatiau. Wedyn, yr un patrwm ag arfer: Maths, Ffrangeg, Hanes, Gwyddoniaeth . . . a phob gwers yn toddi i'r llall yn haul dechrau'r haf. Ond wedyn digwyddodd rhywbeth, ac anghofiais yn llwyr am yr ysgol, ac roedd y cyfrifiadur nôl ar flaen fy meddwl.

Roeddwn i'n cerdded ar hyd y rhodfa cyn y wers olaf, ac roedd Mr Davies (Ffiseg) a Mr Thompson (Saesneg) yn cerdded y ffordd arall. Roedd pawb yn gwybod fod Mr Davies yn dipyn o dderyn; yn y dafarn amser cinio, smygu yn y tŷ bach ers iddyn nhw wahardd sigarèts o'r stafell athrawon, a draw i'r siop fetio rhwng gwersi. Wel, roedd yn wên o glust i glust wrth ddod allan o'r dosbarth, ac mae'n rhaid bod yr athro arall wedi gofyn iddo pam ei fod o mor hapus, achos dyma'r darnau o'r sgwrs a glywais i.

'Cant a hanner o bunnoedd,' meddai Mr Davies.

'Beth oedd hwnna? Ceffyl?' gofynnodd Mr Thompson.

'Ie. Ras dau o'r gloch yn Ffos Las. Daeth Casablanca i mewn bymtheg i un.'

Casablanca.

Ceffyl.

Cyfrifiadur Ethan Sly.

Dwn i ddim sut y llwyddais i fynd trwy'r wers olaf – Astudiaethau Crefyddol o bopeth! Ond yn syth pan ganodd y gloch des o hyd i fy ffrind Leo, a dweud popeth wrtho. Mae Leo'r un oed â fi, un deg pedwar, ac mae'n byw yn y stryd nesaf. Mae'n dywyll ei groen ac yn edrych fel tramorwr – roedd ei fam yn dod o Gyprus – a fo ydy'r person mwyaf galluog yn ein dosbarth ni.

'Iawn,' dywedodd ar ôl i fi orffen. 'Felly mae ysbryd y newyddiadurwr rasio . . .'

'. . . Ethan Sly . . .'

'. . . wedi dod 'nôl neithiwr i dy gyfrifiadur Apple di.'

'Dim Apple ydy o. Zircon neu Zincom. Neu rywbeth . . .'

'Mae o wedi mynd mewn i dy gyfrifiadur di, a dweud wrthot ti be ydy canlyniad y ras heddiw?'

'Do, Leo. Do. Be ti'n feddwl?'

Meddyliodd Leo am eiliad. 'Dwi'n meddwl dy fod di wedi cael chydig bach gormod o haul.'

Efallai nad yw Leo mor ddeallus ag y mae rhai pobl yn ei feddwl.

Y noson honno gwnes fy ngwaith cartref ddwy-waith mor gyflym, llowcio fy swper, ac anghofio am y ffrae arferol gyda Claire. Es fyny i fy stafell gyn gynted ag y gallwn i, cau'r drws a phlygio'r cyfrifiadur mewn. Roedd yna swits ar y tu blaen. Gwasgais y swits, eistedd nôl ac aros.

Goleuodd y sgrîn, ac ymddangosodd sgrifen ar hyd y gwydr.

Zincon system Base memory 640K. 00072K extended.

Iaith arferol y cyfrifiadur – dim byd anarferol. Fflachiodd y sgrîn unwaith neu ddwy. Daliais fy anadl ond wedyn peidiodd sŵn y feddalwedd, a chliciodd y cyfrifiadur i raglen brosesu geiriau arferol. Ateb y cyfrifiadur i dudalen lân. Teipiais fy enw ar y sgrin.

HENRI HUWS

Arhosodd y llythrennau yno'n gwneud dim byd. Teipiais linell o sgrifen, er mod i'n teimlo ychydig yn anesmwyth yn gwneud.

HELO, MR SLY. YDYCH CHI YNA?

58

Eto, dim byd yn digwydd, a dechreuais feddwl fy mod yn ymddwyn yn hollol hurt. Efallai fod Leo'n iawn. Efallai mai breuddwyd oedd y cyfan. Ar y sgrîn, roedd y golau bach yn fflachio, yn aros i mi deipio'r gair nesaf. Estynnais allan i'w ddiffodd.

Ond wnaeth y cyfrifiadur ddim diffodd.

Roeddwn i wedi torri'r pŵer. Dylai'r cyfan fod yn farw ond wrth i fi eistedd yno'n edrych, goleuodd tri gair ar y sgrîn o 'mlaen i. Roedd rhywbeth rhyfedd iawn am y llythrennau. Roedden nhw fel petaen nhw'n hongian y tu ôl i'r gwydr, yn lle cael eu taflu arno, yn hongian yn olau yn y tywyllwch.

MAB Y FELIN

Roedd o'n swnio'n union fel enw ceffyl. Estynnais am ddarn o bapur ac wrth i fi wneud, sylwais fod fy llaw yn crynu fel deilen. Mae'n siŵr fy mod i wedi dychryn am fy mywyd ond mod i'n teimlo'n rhy gynhyrfus i sylwi. Ac roedd rhywbeth arall hefyd yn corddi yn fy meddwl. Roedd y cyfrifiadur yn barod wedi rhagweld enillydd un ras. Roedd Mr Davies wedi ennill cant a hanner o bunnoedd ar

Casablanca. A rŵan roedd ceffyl arall. Efallai y byddai 'na fwy. Beth pe bawn i'n rhoi arian arnyn nhw fy hun? Doedd dim dal faint fyddwn i'n ei ennill.

Ysgrifennais yr enw i lawr ar y papur. Yr un pryd, dechreuodd y llythrennau ddiflannu fel petaen nhw'n gwybod eu bod wedi gwneud eu gwaith. Eiliad arall ac roedden nhw wedi mynd.

Drannoeth, des i o hyd i Leo yn ystod amser egwyl. Gwrandawodd ar yr hyn oedd gen i i'w ddweud gyda'i wyneb difrifol arferol, ond wedyn ysgydwodd ei ben.

'Henri . . .' dechreuodd mewn llais a oedd yn datgelu i mi beth oedd i ddod.

'Dwi ddim yn hurt, a dwi ddim yn dychmygu pethau,' torrais ar ei draws. 'Drycha . . .' Roeddwn i wedi dod â'r papur newydd efo fi i'r ysgol ac agorais y papur ar y dudalen rasio. Pwyntiais at ras. 'Dyna fo,' dywedais yn fuddugoliaethus. 'Ugain munud i bump yng Nghaer. Rhif pump. Mab y Felin.'

Syllodd Leo ar y papur newydd. Fedrai o ddim dadlau. Dyna lle'r oedd o mewn du a gwyn.

'Naw i ddau,' dywedodd.

Dyna ti. Felly os rhown ni ddwybunt arno fo, gewn ni naw punt yn ôl.'

'Os ydy o'n ennill.'

'Wrth gwrs y bydd o. Dyna'r holl bwynt.'

'Henri, dwi ddim yn meddwl . . .'

'Pam nad awn ni i lawr i'r siop fetio ar ôl ysgol? Allwn ni fynd yno ar y ffordd adre.' Edrychodd Leo'n amheus. 'Does dim rhaid i ni fynd i mewn,' ychwanegais. 'Ond does dim drwg mewn mynd i weld.'

Ond wrth gwrs fe ddaeth o. Pam arall fyddwn i'n ei alw'n ffrind gorau?

Aethon ni'n syth ar ôl ysgol. Roedd y siop fetio mewn ardal flêr, ddi-raen – y math o le lle mae graffiti ar y waliau a sbwriel ar y strydoedd bob amser. Dim ond ei phasio ar y bws roeddwn i wedi'i wneud. Fyddwn i byth fel arfer yn aros yno. Roedd hi'n rhan o res o dair siop, ac yn rhyfedd iawn, allech chi ddim gweld i mewn i'r un ohonynt. Siop ddiodydd oedd ar y chwith, a bariau haearn ar ei ffenest flaen. Roedd caffi ar y dde, gyda'i ffenestri'n drwch o saim. Doedd gan y siop fetio ddim ffenest, dim ond gwydr wedi'i beintio i edrych fel trac rasio. Roedd y drws ar agor, ond roedd yno stribedi plastig i atal pobl rhag edrych i mewn.

Gallen ni glywed sylwebaeth y ras o sŵn uchel y teledu a ddoi o'r tu mewn. Wrth i ras ugain munud i bedwar Fulford ddod i'w therfyn, roedd Leo a fi'n loetran ar y pafin yn ceisio edrych yn ddiniwed.

'. . . a dyma Lucky Liz wedyn Maryland . . . Lucky Liz yn carlamu tua'r llinell derfyn . . . Lucky Liz sy'n ennill . . . wedyn Maryland . . . wedyn y fferfryn Irish Cream . . .'

Wrth i fi wrando ar hyn, daeth syniad i 'mhen i. Rhois fy llaw yn fy mhoced, a dod o hyd i ddwybunt. Y tâl am olchi'r car, torri'r lawnt a chlirio'r bwrdd ddwywaith. Tâl caethwas! Ond roeddwn i'n meddwl am eiriau Leo. Pe bawn i'n rhoi dwybunt ar Mab y Felin, byddwn i'n cael naw punt yn ôl pan fyddai o'n ennill. Tynnais yr arian allan.

'Rho fo i gadw!' Mae'n rhaid bod Leo wedi darllen fy meddwl i. 'Dim ond dod i weld o'n i. Beth bynnag, ti'n rhy ifanc i fetio. Fydden nhw ddim yn dy adael di mewn hyd yn oed.'

A dyna pryd ymddangosodd Bill Garrett.

Roedd Bill yn enwog yn yr ysgol. Am bum mlynedd roedd wedi poenydio athrawon a disgyblion, byth yn gwneud digon i gael gwaharddiad, ond wastad yn agos i'r llinell. Er nad oedd neb yn gallu profi dim byd, roedd pawb yn amau mai fo achosodd y tân a ddinistriodd y gampfa. Ac mae'n siŵr mai fo oedd yn gyfrifol bod dau gan punt wedi mynd ar goll o gronfa apêl Kosovo. Yn ôl y sôn, pan adawodd yr ysgol yn un ar bymtheg, roedd yr athrawon wedi cynnal parti a barhaodd hyd yr oriau mân. Am amser wedyn, roedd yn loetran o amgylch giatiau'r ysgol, weithiau'n mynnu arian cinio rhai o'r plant ifancaf. Ond diflasodd ar hynny'n fuan iawn, a doedd neb wedi'i weld ers amser.

Ond dyna lle'r oedd o, yn cerdded allan o'r caffi, yn tanio sigarèt, a golwg ddrwg yn ei lygaid. Mae'n rhaid ei fod o'n ddeunaw oed erbyn hyn, ond roedd y smygu wedi effeithio ar ei dyfiant. Roedd ei gorff yn fain a cham ac roedd o'n drewi. Gwallt du cyrliog oedd ganddo, a orchuddiai un llygad fel gwymon yn dal gafael i'r graig. Pesychodd Leo'n uchel, a dechrau sleifio i ffwrdd, ond roedd hi'n rhy hwyr i redeg.

'Be' mae'r ddau ohonoch chi'n dda fama?' gofynnodd Bill, wedi gweld y wisg ysgol.

''Dan ni ar goll . . .' dechreuodd Leo.

'Nac 'dan ddim,' dywedais i. Edrychais i fyw llygad Bill, gan obeithio nad oedd am fy nyrnu cyn i fi gyrraedd diwedd y frawddeg. ''Dan ni isho rhoi bet ar geffyl,' eglurais.

Roedd hynny wedi'i oglais. Gwenodd, gan ddangos rhes o ddannedd pigog, yn frown gan nicotin. 'Pa geffyl?' gofynnodd.

'Mab y Felin. Caer am ugain munud i bump.' Roedd Leo'n gwneud llygaid bach arna i, ond ei anwybyddu wnes i. 'Dwi isho rhoi dwybunt arno fo.' Estynnais yr arian i Bill ei weld.

'Dwy bunt?' sgyrnygodd. Yn sydyn, fflachiodd ei law allan, gan fy mwrw o dan fy mysedd. Neidiodd yr arian i'r awyr. Chwipiodd ei law, a dal y ddwybunt. Brathais fy nhafod, yn flin efo fi fy hun. Roeddwn i'n gwybod mod i wedi colli'r arian.

Chwaraeodd Bill â'r arian yn ei ddwylo. 'Biti'i wastio fo ar geffyl,' dywedodd. 'Gewch chi brynu peint o gwrw i fi.'

'Be am i ni fynd?' sibrydodd Leo. Roedd o'n falch ein bod ni'n dal yn fyw.

'Aros funud.' Roeddwn i'n benderfynol o gael fy ffordd. 'Mae Mab y Felin yn y ras ugain munud i bump,' dywedais. 'Mae'n mynd i ennill. Rho'r arian ar y ceffyl, a gei di gadw hanner yr arian. Pedair punt pum deg yr un . . .'

'Henri . . .!' llefodd Leo.

Ond roeddwn i wedi dal sylw Bill. 'Sut alli di fod mor siŵr ei fod o'n mynd i ennill?'

'Mae gen i ffrind . . .' Chwiliais am y geiriau iawn. 'Mae'n gwybod llawer am geffylau. Fo ddywedodd wrtha i.'

'Mab y Felin?'

'Dwi'n addo, Bill.' Daeth ysbrydoliaeth o rywle. Daliais fy oriawr yn uchel, gan sylwi ei bod hi'n 4:35. Rŵan neu ddim o gwbl. 'Os ydy o'n colli, gei di'r oriawr 'ma,' dywedais.

Rholiodd Leo'i lygaid.

Ystyriodd Bill. Roedd hi bron yn bosib gweld y syniad yn adlewyrchu yn ei lygaid wrth iddo feddwl a meddwl yn ei hanner ymennydd. 'Iawn,' dywedodd o'r diwedd. 'Aros di fama. Ac os symudi di, fyddi di'n difaru.'

Rhedodd i'r siop fetio, a'r stribedi plastig yn disgyn o'i ôl. Yn syth wedi iddo fynd, trodd Leo ata i.

'Redwn ni!' gwaeddodd.

'Ddaliai o ni.'

'Ddaliwn ni fws.'

'Mae'n gwybod lle i ddod o hyd i ni. Ysgol . . .'

'O'n i'n gwybod mai camgymeriad oedd dod fan hyn.' Y tristaf mae Leo'n mynd, y mwyaf gwirion mae'n edrych. Wyddwn i ddim a ddylwn i chwerthin neu grïo. 'Be sy'n digwydd os na fydd y ceffyl yn ennill?'

'Bydd o'n ennill,' atebais. 'Mae'n rhaid iddo fo.'

Symudodd y stribedi plastig, ac allan â Bill yn dal papur betio glas. 'Dim ond mewn pryd,' cyhoedd-odd. 'Mae'r ras ar ddechrau.'

'Ffwrdd â nhw . . .!' Roedd sŵn y teledu'n adleisio ar hyd y stryd fel y safai'r tri ohonon ni yno. Doedd Leo na fi'n gwybod yn iawn lle i edrych. Roeddwn i eisiau mynd yn nes at y drws, ond ar yr un pryd doeddwn i ddim eisiau ymddangos yn rhy awyddus, felly arhosais lle'r oeddwn i. Dim ond prin glywed y sylwebaeth oeddwn i, a doedd y rhannau y gallwn i eu clywed ddim yn swnio'n addawol iawn. O beth allwn i ei ddeall, roedd ceffyl o'r enw Jenny Wren ar y blaen yn gynnar yn y ras. Borsalino oedd y tu ôl iddo. Chlywais i mo enw Mab y Felin o gwbl.

Ond wedyn, yn y diwedd, pan oedd llais y sylwebydd ar ei uchaf, daeth y geiriau hud i'r clyw.

'A dyma Mab y Felin yn carlamu ar y tu mewn. Mab y Felin! Mae wedi mynd heibio i Borsalino, ac mae'n agosáu at Jenny Wren. Mab y Felin. Tybed . . .?'

Eiliadau'n ddiweddarach, ac roedd y ras ar ben. Roedd Mab y Felin wedi ennill o drwch blewyn. Edrychodd Bill Garrett arna i am hir. 'Arhosa fama,' dywedodd. Aeth yn ei ôl i'r siop.

Roedd golwg boenus ar Leo. 'Ni mewn trwbwl rŵan,' dywedodd.

'Be' wyt ti'n feddwl? Atebais. 'Enillon ni!'

'Dyna'n union dwi'n ei feddwl. Gei di weld . . .'

Daeth Bill allan o'r siop fetio. Roedd yna wên ar ei wyneb, ond doedd hi ddim yn wên garedig. Yn union fel pe bai neidr yn gwenu ar gwningen.

'Be ydy dy enw di?' gofynnodd.

'Henri Huws.'

Estynnodd ei law. Roedd yno dri darn punt ynddi. 'Dyma ti, Henri,' dywedodd. Tri i ti a chwech i fi. Mae hynny'n ddigon teg . . .'

67

Doedd hynny ddim yn deg o gwbl, ond doeddwn i ddim yn mynd i ffraeo.

'Dy ffrind di . . .' Taniodd Bill sigaret arall. Chwythodd y mwg glas oer i'r awyr. 'Dwi isho'i gyfarfod o.'

'Mae'n swil iawn,' dywedais.

'Yn y busnes rasio mae o?'

'Arfer bod.' Roedd hynny'n wir beth bynnag.

Rhoddodd Bill ei lawr ar fy ysgwydd. Plannodd ei fysedd i 'ngwddf, gan wneud i fi wingo. 'Mae'n debyg y byddi di a fi angen ein gilydd,' dywedodd. Roedd ei lais yn gyfeillgar, ond roedd ei fysedd yn tyllu'n ddyfnach. 'Ti'n nôl y tips, ond ti'n rhy ifanc i osod y betiau . . .'

'Dwi ddim yn meddwl y bydd mwy o dips,' dywedais yn dawel.

'Wel, os bydd yna, cofia gadw mewn cysylltiad.'

'Iawn, Bill.'

Rhyddhaodd ei afael yn fy ysgwydd, cyn rhoi clewten i fi ar fy nghefn oedd yn ddigon caled i dynnu dŵr i fy llygaid. 'Mr Garrett i ti, dwi ddim yn yr ysgol rŵan.' Trodd ar ei sawdl a cherdded i'r siop ddiod. Mae'n siŵr ei fod o'n mynd i wario'r chwephunt yn syth.

'Ffwrdd â ni,' mwmiodd Leo.

Cytunais. Gyda'n gilydd, rhedon ni at yr arhos-fan bysiau mewn pryd i ddal bws am adre. Dwi ddim yn meddwl mod i erioed wedi bod mor falch o deimlo fy hun yn symud.

Y noson honno, ces fy neffro gan y cyfrifiadur unwaith eto. Y tro hwn, y geiriau ar y sgrîn oedd:

TE I DDAU

Plannais fy mhen yn y gobennydd gan geisio cau'r geiriau allan, ond llosgai'r geiriau yn fy meddwl. Dwi ddim yn siŵr yn union sut oeddwn i'n teimlo ar y pryd. Roedd rhan ohona i'n anhapus iawn. Rhan ohona i'n ofnus. Ond roedd cynnwrf hefyd. Roedd hyn i gyd yn newydd, yn rhyfedd ac yn anhygoel. A gallai 'ngwneud i'n gyfoethog iawn. Gallwn fod yn filiwnydd fil gwaith drosodd. Roedd dim ond meddwl am hynny'n ddigon i 'nghadw i'n effro drwy'r nos. Byddai'n union fel ennill y pŵls bob dydd am weddill fy mywyd.

Ddywedais i ddim wrth Leo am y ceffyl. Siarad-odd o fawr ddim efo fi'r diwrnod wedyn yn yr ysgol, a ches i'r teimlad nad oedd o eisiau gwybod. Roeddwn i wedi meddwl am ddweud wrth Dad a Mam, ond penderfynais beidio – am y tro o leiaf. Fy nghyfrifiadur i oedd o, ond pe bawn i'n dweud wrthyn nhw, bydden nhw'n mynd ag o i ffwrdd mae'n siŵr, a doeddwn i ddim yn barod i hynny. Ddim eto, beth bynnag.

Roedd Bill Garrett yn aros amdana i y tu allan i'r ysgol. Roeddwn i ar fy mhen fy hun – roedd Leo wedi cael rhan yn nrama'r ysgol ac wedi aros ar ôl i ymarfer. I ddechrau, anwybyddais Bill, gan gerdded at y bws fel arfer. Ond ches i ddim sioc pan ddechreuodd o gerdded wrth fy ochr. A'r gwir ydy, doeddwn i ddim yn flin, achos roedd Bill yn iawn y diwrnod cynt. Dywedodd o 'mod i ei angen o. Cywir.

Roedd o'n ddigon cyfeillgar. 'Meddwl o'n i oes mwy o dips gen ti?' dywedodd. 'Efallai,' atebais, gan geisio cuddio'r cryndod yn fy llais.

'Efallai?' Synnwn i ddim petai wedi troi a rhoi dwrn yn fy wyneb. Ond wnaeth o ddim.

'Faint o arian sy gen ti?' gofynnais iddo.

Aeth i'w bocedi a thynnu hen bapur pumpunt a llond dwrn o newid. 'Tua chwephunt,' meddai. Gallwn weld fod y swm yn nes at ddeg, ond fel y dywedais i, doedd Maths ddim yn un o gryfderau Bill.

'Allen i droi hwnna'n . . .' Roeddwn i'n barod wedi edrych ar y prisiau a gwnes y swm yn fy mhen, '. . . gant wyth deg pum punt,' dywedais.

'Faint?'

'Faint wyt ti'n fodlon ei roi i fi?'

'Allan o gant wyth deg pump? Ystyriodd. 'Gei di dri deg.'

'Dwi isho cant.'

'Aros funud . . .' Roedd yr olwg gas yn ôl ar ei wyneb, ond efallai nad oedd yr olwg honno wedi mynd yn y lle cyntaf.

'Ti'n dal yn cael wyth deg pump,' dywedais. 'Rho di'r arian lawr, a ddyweda i enw'r ceffyl.'

'Be sy'n digwydd os ydy o'n colli?'

'Gei di fo 'nôl ar ôl i fi safio arian.'

Roedden ni wedi mynd dipyn o ffordd o'r ysgol erbyn hyn. Roedd hynny'n beth da, achos doeddwn i ddim eisiau cael fy ngweld yn siarad efo Bill. Edrychodd i lawr arna i yn ei ffordd arbennig ei hun. 'Sut wyt ti'n gwybod y bydda i'n talu os bydd y ceffyl yn ennill?' gofynnodd.

'Dim tâl, dim mwy o dips.' Roeddwn i wedi gweithio popeth allan. Neu dyna oeddwn i'n ei feddwl. Sydd yn dangos pa mor anghywir allwch chi fod.

Cytunodd Bill, gan ddweud yn araf, 'Iawn, dêl. Be oedd enw'r ceffyl?'

'Te i Ddau.' Hyd yn oed wrth i fi ddweud y geiriau roeddwn i'n gwybod nad oedd troi 'nôl i fod. Roeddwn i'n llwyr yn ei chanol hi. 'Mae'n rhedeg yn y deng munud i bump yn Carlisle,' dywedais. 'Y pris ydy dau ddeg pump i un. Galli di roi degpunt o dy arian dy hun i mewn, a thair arall gen i.' Rhoddais yr arian a enillais y diwrnod cynt.

'Te i Ddau?' Ailadroddodd Bill yr enw.

'Tyrd i'r ysgol efo'r arian ddydd Llun, ac efallai y bydd gen i dip arall i ti.'

Rhoddodd Bill fonclust chwareus i fi. Roedd o'n dal i losgi wrth iddo brysuro i lawr y pafin ac i mewn i fws.

Enillodd Te i Ddau yn hawdd. Clywais y canlyniad ar y radio yn hwyrach y noson honno, ac es i'r gwely yn wên o glust i glust. Wrth fy ngweld mor hapus penderfynodd fy mam ei bod yn rhaid fy mod mewn cariad a threuliodd Claire awr gyfan yn tynnu fy nghoes. Wel, dangosa i iddi pan fydda i'n filiwnydd ddeg gwaith drosodd. Y noson honno arhosodd y cyfrifiadur yn wag ond doeddwn i ddim yn poeni. Efallai bod Ethan wedi cymryd gwyliau dros y penwythnos. Byddai'n siŵr o ddod yn ôl. Am unwaith roeddwn i'n edrych mlaen at fynd i'r ysgol ac at fore Llun. Can punt. Rhoi hwnnw ar geffyl arall ar 25-1 a byddwn i'n werth miloedd.

Ond doedd dim rhaid i fi aros tan fore Llun i weld Bill eto. Daeth i'r tŷ'r diwrnod wedyn. Daeth â Leo efo fo. Un edrychiad ar y ddau ohonyn nhw a gwyddwn fy mod mewn trwbwl.

Roedd gan Leo lygad ddu ac roedd ei drwyn yn gwaedu. Roedd ei ddillad wedi'u rhwygo ac roedd ei wyneb yn llawn gofid. Roedd Bill yn cerdded o amgylch yn union fel pe bai'n frenin. Roeddwn wedi anghofio gymaint o enw drwg oedd ganddo. Wel, roeddwn i'n dysgu'r gwir rŵan, ac ar yr amser gwaetha posib. Roedd Dad yn ei waith. Roedd Mam yn mynd a Claire i'w gwers ddawnsio. Roeddwn i yn y tŷ ar fy mhen fy hun.

'Lle mae o?' mynnodd Bill, gan wthio Leo trwy'r drws agored.

'Be?' gofynnais. Ond roeddwn i'n gwybod. Roedd Bill yn y tŷ rŵan. Meddyliais y gallwn ruthro fyny'r grisiau i ffonio'r heddlu cyn iddo dorri fy esgyrn i gyd. Neu efallai ddim. Caeodd y drws yn glep.

'Dwi'n sori . . .' dechreuodd Leo.

'Roedd yn rhaid ei fod o'n rhywbeth sbeshial,' eglurodd Bill. 'Ro'n i'n gwybod, ti'n gweld. Does neb yn gallu dweud ymlaen llaw pwy sy'n ennill. Ddim dwywaith ar ôl ei gilydd. Ddim yn hollol bendant. Felly roedd yn rhaid bod yna dric yn rhywle.' Taniodd sigarét. Byddai fy mam yn fy lladd i pan fyddai'n arogli'r mwg. Os na fyddai Bill wedi fy lladd i gynta'. 'O'n i'n gwybod na fyddet ti'n dweud wrtha i,' ychwanegodd. 'Felly es draw i weld dy ffrind. Mynd â fo allan am sgwrs fach. Wel, doedd o ddim isho dweud wrtha i chwaith felly roedd rhaid i fi roi ychydig o help iddo. Gwneud iddo fo grio.'

'Doedd dim byd allen i'i wneud,' sibrydodd Leo.

'Fy mai i ydi hwn,' dywedais. Yr eiliad honno bydden ni wedi rhoi'r cyfrifiadur i Bill dim ond i'w gael allan o'r tŷ.

'Felly dechreuodd y cadi ffan ddeud straeon wrtha i am ysbryd ac am gyfrifiadur,' aeth Bill ymlaen gan chwythu mwg. 'Ti'n gwbod, gafodd o fwy o ddyrnu pan ddwedodd o hynny. Do'n i ddim yn ei goelio fo. Ond o'dd o'n mynnu, a ti'n gwbod be? Ro'n i'n dechrau meddwl ei fod o'n wir achos pan wnes i fygwth tynnu ei ddannedd allan roedd yn dal at ei stori.' Trodd Bill arna i. 'Ydy o'n wir?'

'Ydy.' Doedd dim pwynt deud celwydd.

'Lle mae o?'

'Fyny grisiau yn fy stafell. Ond os ei di yno fydda i'n galw'r heddlu.'

'Yr heddlu?' chwarddodd. 'Ti wahoddodd fi mewn.' Cymrodd ddau gam tua'r grisiau a brysiais draw, yn ei atal rhag mynd fyny. Dechreuodd ei wyneb droi'n goch, ac edrych yn union fel un o luniau ffotoffit yr heddlu.

'Dwi'n gwbod fod dy rieni di allan,' hisiodd. 'Welais i nhw'n mynd. Dos o fy ffordd neu byddi di yn yr ysbyty. Gei di weld.'

'Mae'n ei feddwl o,' meddai Leo.

'Fi bia'r cyfrifiadur!' llefais.

Taflodd Bill ychydig o hen arian papur ata' i. 'Na. Nest ti'i werthu o i fi am ganpunt. Ti'n cofio?' Gwenodd. 'Fi sy bia fo rŵan. Beth bynnag, ti'n rhy ifanc i gamblo. Mae yn erbyn y gyfraith. Rhag dy gywilydd di . . .'

Gwthiodd heibio i fi. Doedd dim byd y gallwn i'i wneud. Edrychodd Leo'n druenus, ac roedd blas cas yn fy ngheg i. Fy mai oedd hyn i gyd. Sut allen i fod wedi bod mor wirion?

'Leo . . .' dechreuais. Ond doedd dim byd y gallwn i'i ddweud. Dim ond gobeithio y bydden ni'n dau'n ffrindiau ar ôl yr holl drafferth.

'Mae'n well i ti fynd i fyny,' meddai Leo.

Rhedais i fyny'r grisiau. Roedd Bill wedi dod o hyd i'r stafell, ac yn eistedd o flaen y cyfrifiadur. Roedd o wedi ei droi mlaen ac yn aros i'r cyfrifiadur dwymo. Sefais yn y drws, yn edrych.

'Iawn,' mwmiodd Bill. Dyrnodd ei law ar yr allweddell. Deth cwlwm o lythrennau ar y sgrin. 'Siapia hi, Mr Ysbryd!' Tarodd ochr y sgrin. 'Be sy gen ti i fi? Sgen i ddim trwy'r dydd!' Tarodd yr allweddell eto. Daeth mwy o lythrennau.

TMYAHDaFCT...

'Siapia hi!' Gafaelodd Bill yn y sgrin gyda'i ddwy law fudr, a gwasgu'i wyneb yn erbyn y gwydr. 'Ti isho mynd i'r dymp, ne be? Rho enw i fi.'

Roeddwn i'n bendant nad oedd dim byd yn mynd i ddigwydd. Doeddwn i erioed wedi gofyn i enw ceffyl ddod ar y sgrin. Digwydd oedd o, dyna i gyd. A doeddwn i erioed wedi bod mor hunanol â hyn. Ond sylweddolais i gydag amser mae'n siŵr y byddwn i wedi dod mor ofnadwy a hunanol â Bill. Roeddwn i'n siŵr na ddigwyddai dim byd. Ond roeddwn i'n anghywir.

Diflannodd y cwlwm llythrennau. Daeth dau air yn eu lle.

SYMUD SYDYN

Rhythodd Bill ar y sgrin fel pe bai o mond rŵan yn credu beth roedd Leo wedi'i ddweud wrtho. Disgynnodd y sigarèt o'i wefus, a chwarddodd. Roedd ei gorff cyfan yn crynu. 'Symud Sydyn.' Blasodd y geiriau wrth eu dweud. 'Symud Sydyn. Symud Sydyn.' Dim ond rŵan y sylwodd o 'mod i yno. 'Ydy hwn yn rhoi'r prisiau i ti?' gofynnodd.

'Na,' dywedais. Roeddwn i wedi colli. Roeddwn i eisiau iddo fo fynd. 'Dwi'n eu cael nhw yn y papur.'

'Ga i nhw yn y siop fetio.' Safodd Bill ar ei draed. Cyrliodd ei law o amgylch y weiren a thynnu'r plwg o'r wal. Aeth y sgrîn yn ddu. Wedyn gafaelodd yn y cyfrifiadur cyfan a'i godi oddi ar y bwrdd. 'Wela' i di,' dywedodd. 'Mwynha'r canpunt!'

Dilynais Bill i lawr y grisiau. Efallai y gallwn fod wedi'i atal, ond doeddwn i ddim eisiau. Y cyfan roeddwn i eisiau'i weld oedd Bill yn mynd allan o 'ngolwg i.

Agorodd Leo'r drws ffrynt.

'Hwyl, blantos,' gwaeddodd Bill.

Rhedodd allan a thros y ffordd. Roedd yna wichian teiars a sŵn damwain fawr. Edrychodd Leo a fi ar ein gilydd cyn rhedeg allan. A hyd yn oed rŵan, galla i weld o hyd yr hyn a welais i'r diwrnod hwnnw. Mae fel llun wedi'i argraffu ar fy meddwl i.

Roedd Bill wedi cael ei daro gan fan fawr wen a oedd wedi aros ychydig o lathenni o'n drws ffrynt ni. Roedd y gyrrwr allan yn barod, yn edrych i lawr mewn braw. Gorweddai Bill mewn pwll o waed a oedd yn barod yn mynd yn fwy o amgylch ei ben. Roedd ei goesau a'i freichiau ar led, yn union fel petai'n ceisio nofio ar hyd tarmac y ffordd. Ond doedd o ddim yn symud. Nac yn anadlu hyd yn oed.

Roedd y cyfrifiadur wedi disgyn o'i ddwylo, ac wedi torri'n fil o ddarnau mân. Doedd dim modd ei drwsio. Roedd gwydr y sgrîn dros y ffordd i gyd. Roedd y clawr o amgylch y ddisg galed wedi torri ac roedd falfiau a gwifrau ymhob man; sbageti electronig.

Roedd hyn i gyd yn erchyll, ond roedd rhywbeth gwaeth i ddod. Yr enw ar ochr y fan cludo dodrefn. Mi welais i o'n glir, a dwi'n dal i'w weld o'r un mor glir rwan.

G.W. WILLIAMS, CLUDWYR DODREFN

Ac oddi tano, mewn llythrennau mawr coch:

SYMUD SYDYN.

Ydych chi am fentro i ryfeddod byd ofnadwy Anthony Horowitz!?

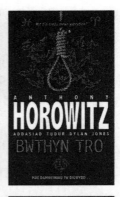

www.rily.co.uk